politiebureau

uniform

controle

restaurant

café

café

bedelaar

Dirk Nielandt

De tas

met tekeningen van
Mariella van de Beek

Op de cd staat een korte leesinstructie bij dit boek.
Daarna leest de auteur het eerste hoofdstuk voor.
Kijk op de cd welk nummer bij dit boek hoort.

Achter in het boek zijn leestips opgenomen voor ouders.

Boeken met dit vignet zijn op niveaubepaling geregistreerd
en gecontroleerd door KPC Groep te 's-Hertogenbosch.

1e druk 2007

ISBN 978.90.276.7320.6
NUR 286/282

© 2007 Tekst: Dirk Nielandt
Illustraties: Mariella van de Beek
Leestips: Marion van der Meulen
Vormgeving: Natascha Frensch
Typografie Read Regular: copyright © Natascha Frensch 2001 – 2006
Uitgeverij Zwijsen B.V. Tilburg

Voor België:
Zwijsen-Infoboek, Meerhout
D/2007/1919/199

Inhoud

1. Geld

Diederik en Emma zitten alleen in de klas.
Ze hebben hun huiswerk niet gemaakt.
Daarom moeten ze na schooltijd blijven om hun huiswerk
te maken.
Dat vinden ze helemaal niet leuk.

'Mogen we naar huis?' vraagt Emma.
'Hebben jullie je huiswerk af?' vraagt de juffrouw.
'Bijna,' zeggen Diederik en Emma allebei.
De juffrouw lacht: 'Nou goed dan, als je belooft dat je
het thuis afmaakt!'
'Beloofd!' zeggen ze snel.

Diederik en Emma haasten zich de school uit en rennen
over het schoolplein.
Iedereen is allang naar huis.
Diederik wijst naar een tas die tegen de muur staat.
'Iemand is z'n tas vergeten!' zegt hij.
Emma haalt haar schouders op en zegt: 'Dat is ons
probleem niet.'
'Als het gaat regenen, wordt de tas nat en alles wat erin
zit ook,' zegt Diederik.
'Ik zet de tas gauw in de gang van de school, dat is zo
gebeurd!'

Diederik pakt de tas en rent ermee naar binnen, maar de tas springt open.

Diederik en Emma schrikken want er valt een heleboel geld uit de tas.

Zoveel geld hebben ze nog nooit gezien.

Emma raapt het geld op en vraagt: 'Waar komt al dat geld vandaan?'

'Vast van een dief!' zegt Diederik.

'Een dief, zit er een dief op onze school?'

2. Wachten

'Van wie zou de tas zijn?' vraagt Emma.
Diederik haalt zijn schouders op: 'Ik weet het niet.'
Ze kijken in de tas, er zit alleen maar geld in en verder
niets.
Ze zoeken naar een naam of adres, maar ze vinden niks.
Emma heeft een idee en zegt: 'We zetten de tas terug.
We verstoppen ons ergens waar we de tas kunnen zien
en wachten tot iemand de tas komt halen.
Dan weten we van wie de tas is.'

Zo gezegd, zo gedaan.
Diederik en Emma gaan achter een struik zitten.
Ze kunnen de tas goed zien.
Terwijl ze wachten en wachten, begint het zacht te
regenen.
De juffrouw komt uit school.
Zou zij ...?
Nee, ze ziet de tas niet eens staan en loopt snel naar
de bus.

'Ik word nat,' klaagt Diederik.
'Zullen we het geld houden?' vraagt Emma.
'Doe niet zo mal,' zegt Diederik.
'Het is vast geld van een dief of van iemand die drugs
verkoopt.

Zo iemand laat z'n geld niet jatten.
Die komt achter ons aan en vermoordt ons misschien
wel.'
Dan komt er een man uit het gebouw.
Hij blijft op het plein staan en kijkt rond.
Emma fluistert: 'Dat is de nieuwe van de
schoonmaakploeg.'
De man kijkt speurend rond.
Diederik en Emma kruipen nog dieper achter de struiken.

Nu komt er een vrouw naar buiten.
'Dat is Lies van de schoonmaakploeg,' zegt Diederik
zacht.
Lies omhelst de man en kust hem.
'Ze zijn verliefd,' lacht Emma.
Dan loopt Lies hand in hand met de man weg.
De tas laten ze staan.
Ze kijken er zelfs niet naar.

'Straks wordt het donker,' zegt Emma.
'We moeten naar het **politiebureau!**' zegt Diederik.

3. Snoep?

Diederik en Emma pakken de tas.
'Weet jij waar het **politiebureau** is?' vraagt Emma.
Diederik schudt zijn hoofd.
'Nee, maar er is vast wel een **politiebureau** in de buurt,'
zegt hij.
Ze gaan op pad.

'Iemand volgt ons,' zegt Emma opeens.
'Het is een man met een blauwe regenjas.'
Diederik kijkt bang om.
'Niet kijken!' sist Emma.
Ze beginnen sneller te lopen.
'Volgt hij ons nog?' vraagt Diederik.
Emma durft bijna niet te kijken, maar ze doet het toch.
'Hij is weg,' zucht ze opgelucht.

Plotseling verschijnt de man weer om de hoek.
Diederik en Emma vluchten snel een winkel in.
Ze kijken bang door de glazen deur naar buiten.
De man loopt voorbij.
'Kan ik jullie helpen?' vraagt het meisje aan de kassa.
'Nee, bedankt,' zegt Emma.
Maar Diederik ziet snoep liggen.
'Ik heb best honger,' fluistert hij, 'ik lust wel drop.'
Emma heeft ook trek.

'Ik heb geen geld bij me,' zegt ze sip, 'jij wel?'

Diederik voelt in zijn zakken.

'Ik ben ook blut,' zegt hij.

Dan doet hij de tas open en haalt er geld uit.

Emma schrikt en sputtert tegen: 'Maar je zei zelf ...'

'Niet zo flauw doen,' zegt Diederik.

'Eén briefje zal de dief toch niet missen!'

'Nee,' zegt Emma, 'we mogen het geld niet gebruiken.

Het is niet van ons!'

Ze stappen zonder snoep naar buiten.

De man in de blauwe regenjas zien ze gelukkig niet meer.

Diederik blijft voor een winkelraam staan.

Hij kijkt naar al het speelgoed in de winkel.

'Met het geld in de tas kunnen we alles kopen!

Zou dat niet fijn zijn?'

Emma wordt boos.

'We weten niet van wie het geld is.

Misschien is het geld van een dief, misschien ook niet.

Misschien komt het uit de schoolkas.

Misschien is het wel van de directeur.'

Diederik kijkt haar bang aan.

'Je hebt gelijk,' zegt hij, 'straks denken ze dat wij de
dieven zijn.'

Emma wordt bleek.

'Maar dan vertellen we toch de waarheid.

We zagen de tas staan en wilden hem naar het
politiebureau brengen.'

'Ze geloven ons nooit,' zegt Diederik.

'Ze zullen denken dat we dieven zijn.'

'Dat mag niet gebeuren,' zegt Emma.

'We brengen de tas nu terug naar school.'

4. Halt!

Diederik en Emma rennen terug naar school.
'We zetten de tas op dezelfde plek terug,' zeggen ze
tegen elkaar.
Maar ze zijn te laat: de schoolpoort is al dicht.
Diederik rammelt aan het hek.
'Het zit op slot,' zegt hij sip.
'Dan klimmen we er toch over,' zegt Emma.
Het is een hoog hek, maar het lukt wel.
Diederik geeft haar een zetje en Emma klimt omhoog.
Opeens stopt er een auto, er stapt een agent uit.
'Halt!' roept hij streng.

Emma moet van de agent naar beneden komen.
'Wat ben jij van plan, meisje, probeer je in te breken?'
Emma wordt knalrood en stottert: 'We ... ik wilde ... de
tas met geld ...'
Ze stottert, dus Diederik vertelt dan maar: 'We hebben
een tas met veel geld gevonden.
We wilden die terug op z'n plaats zetten, want we zijn
geen dieven.'
'Dat zijn we echt niet,' zegt Emma.
De agent kijkt hen boos aan, maar dan schiet hij in een
luide lach.
'Een tas met geld?' buldert hij, 'en dat moet ik geloven?
Jullie lachen me uit, jullie proberen me beet te nemen.'

'Nee, echt niet,' zegt Diederik.

Maar de agent luistert niet.

'Maak dat je wegkomt,' zegt hij streng, 'hup naar huis, allebei!

En laat ik jullie hier niet meer zien.'

Dan stapt hij lachend in de auto en schudt zijn hoofd.

'Bengels,' zegt hij en rijdt weg.

Diederik en Emma kijken elkaar verbaasd aan.

'Hij gelooft ons niet,' zegt Emma.

Diederik laat de tas vallen.

De tas springt open en het geld valt eruit.

'Wat doe je nu?' roept Emma boos.

Ze raapt het geld snel op.

Diederik stoot haar aan: 'Daar is de man met de blauwe regenjas weer!'

'Rennen!!' roept Emma.

5. Boete

Diederik en Emma vluchten weg voor de man met de
blauwe regenjas.
De man rent achter hen aan en is sneller.
Hij heeft hen bijna te pakken.
'Daar staat een bus!' roept Diederik.
Terwijl Diederik en Emma in de bus springen, klappen de
deuren dicht.
De man in de blauwe regenjas rukt aan de deur, maar hij
is te laat.
De bus rijdt weg.
'Oef!' zuchten Diederik en Emma allebei.

Meteen komt er een man met een **uniform** en een pet
bij hen staan.
'**Controle**!' zegt hij.
'**Controle**?' vraagt Diederik.
'Mag ik je kaartje zien?' vraagt de man.
Diederik en Emma kijken elkaar bang aan.
'We hebben geen kaartje,' zegt Emma.
De man kijkt hen boos aan en zegt: 'Dan moet je een
boete betalen.'
'Maar ... maar we wilden een kaartje kopen, hoor, echt.'
'Ik geloof er niks van,' zegt de man, 'betalen!'
'We hebben geen geld,' zegt Emma.
'Welles,' zegt Diederik en hij geeft een klopje op de tas.

Emma schudt haar hoofd en sist boos: 'Dat geld is niet van ons.
We mogen het niet gebruiken!'

De bus stopt bij een halte.
De man in het **uniform** kijkt hen boos aan: 'Betaal je of schrijf ik een bon uit?'
De deur van de bus sist open.
Emma pakt de hand van Diederik en trekt hem mee de bus uit.
Ze rennen weg, zo snel als ze kunnen.
'Kom terug!' roept de man in **uniform** en hij zwaait boos met zijn vuist.

6. De bedelaar

Diederik en Emma vluchten weg.
De man van de bus roept hen nog iets na, maar ze horen
het al niet meer.
Ze rennen tot Emma niet meer kan.
'Nu zijn we echte boeven,' hijgt Emma.
'Straks spoort de politie ons op en dan stoppen ze ons in
de cel.'

Diederik luistert niet en kijkt verbaasd rond.
'Waar zijn we?' vraagt hij.
Emma kijkt ook om zich heen.
'Geen idee,' antwoordt ze, 'ik geloof dat we verdwaald
zijn.'
Emma pakt haar mobieltje.
'Ik bel mama en papa even, want ze zullen vast
ongerust zijn.'
Ze toetst het nummer van thuis in en luistert.
'Wat vreemd,' zegt ze, 'er neemt niemand op.'
Diederik heeft geen mobieltje, maar hij wil ook naar
huis bellen.
'Mag ik de jouwe gebruiken?' vraagt hij.
Natuurlijk mag dat.
Diederik belt naar huis, maar ook daar neemt
niemand op.
Diederik en Emma vinden het wel vreemd.

'We moeten naar huis,' zegt Diederik, 'onze ouders zijn vast erg ongerust.'

Een eind verder zit een bedelaar op de stoep.
Hij heeft lang haar en een lange baard.
Ze lopen langs de bedelaar.
De man houdt zijn hoed omhoog en zegt: 'Ik heb honger.
Kunnen jullie wat geld missen?'
Diederik en Emma kijken elkaar aan en schudden het hoofd.
'Sorry,' zegt Diederik, 'we willen je graag iets geven, maar het is ons geld niet.'
Ze lopen verder, maar zien niet dat de bedelaar hen volgt.

TOILETTEN

7. Dief

'Ik moet plassen,' zegt Emma.

Diederik wijst naar een **restaurant**.

Ze gaan er naar binnen.

'Ik wacht wel,' zegt Diederik en hij zet de tas neer op de grond.

Emma loopt verder, op zoek naar de wc.

De bedelaar kijkt door het raam van het **restaurant** naar binnen.

Hij ziet de tas op de grond staan en stormt naar binnen.

De bedelaar grijpt de tas en vlucht weg.

'Kom terug, dief!' roept Diederik geschrokken.

Hij rent naar buiten, achter de dief aan.

Emma schrikt, als ze van de wc komt.

Waar is Diederik en waar is de tas?

Ze rent naar buiten en kijkt rond, maar ze ziet Diederik nergens.

Een vrouw komt uit het **restaurant**.

'Je vriend is achter een dief aan,' zegt ze.

Emma maakt zich zorgen.

Wat moet ze doen?

Ze weet niet welke kant Diederik uit ging.

Ze kan alleen maar wachten en hopen dat hij gauw terugkomt.

Emma rilt van de kou.

Ze verlangt naar huis, naar haar ouders.

Waar blijft Diederik toch?

Diederik rent nog achter de dief aan.

De bedelaar rent niet zo snel.

Diederik haalt hem bijna in, struikelt en valt op de grond.

Zijn knie doet pijn, maar hij staat snel weer op.

Hij ziet de dief niet meer, die is ontsnapt.

8. De nieuwe tas

Terwijl Emma op Diederik staat te wachten, wordt het
donker.
Ze is bang, dus ze pakt haar mobiel en belt weer
naar huis.
Er antwoordt niemand en dat is heel vreemd.
Rond dit uur zijn haar vader en moeder altijd thuis.
En waar blijft Diederik?

Daar komt Diederik opeens de hoek om.
Hij lacht naar Emma en zwaait met de tas.
'Wat is er gebeurd?' vraagt Emma.
'De bedelaar pikte de tas,' vertelt hij.
'Ik ben achter hem aan gerend, maar ineens was ik
hem kwijt.
Ik keek overal naar binnen.
Hij zat in een **café**, met zijn rug naar de deur.
Ik ben het **café** binnengegaan en heb de tas gepakt.
Toen ben ik weer teruggekomen.'

'We moeten naar huis,' zegt Emma.
Diederik antwoordt niet.
'Daar staat de man in de blauwe regenjas,' zegt hij.
Hij staat op de hoek en kijkt naar hen.
'Ik heb een idee,' zegt Emma en ze gaat een winkel
binnen.

Diederik volgt haar de winkel in.

Het is een winkel waar ze tassen verkopen.

'Wat doen we hier?' vraagt Diederik verbaasd.

Emma gaat naar de winkeljuffrouw en laat de tas zien.

'Verkoopt u een tas die er precies zo uitziet?'

De vrouw bekijkt de tas en knikt.

'Ik denk het wel,' zegt ze.

Ze verdwijnt even achter in de winkel.

'Wat ben je van plan?' vraagt Diederik.

'Snap je dat niet?' antwoordt Emma.

'Ik koop een tas die er hetzelfde uitziet.

Met de neptas nemen we de man te grazen.

We laten de neptas door hem afpakken.'

Diederik snapt het nu en zegt: 'Wat slim van je.'

De vrouw komt terug met een tas en zegt: 'Deze lijkt
er heel veel op.'

Dat vinden Diederik en Emma ook.

'We kopen de tas!' zegt Emma.

'Hoe wil je dat betalen?' vraagt Diederik.

'Dit is een noodgeval,' antwoordt Emma.

'Voor één keer gebruiken we het geld uit de tas!'

Diederik en Emma gaan naar buiten.

Emma verstopt de echte tas onder haar jas, Diederik
houdt de neptas vast.

De man met de blauwe regenjas volgt hen.

'Wat doen we nu?' vraagt Diederik.

'Laat hem de neptas maar stelen,' zegt Emma.

De man met de blauwe regenjas komt dichterbij.

Diederik vindt het best spannend ...

9. Foto

De man met de blauwe regenjas is nu vlakbij.

Diederik en Emma doen alsof ze hem niet zien.

Emma pakt haar mobiel.

'Wie ga je bellen?' vraagt Diederik.

'Ik ga niemand bellen,' antwoordt ze.

'Met mijn mobiel neem ik een foto als hij de tas pakt.

Dan hebben we een bewijs dat hij de dief is.'

Plotseling springt de man op de tas af en trekt hem
uit Diederiks hand.

'Hebbes!' roept hij.

Maar dan maakt Emma een foto van de man.

'Hebbes!' lacht ze.

Diederik en Emma zetten het weer op een lopen.

De man met de blauwe regenjas blijft staan.

Hij kijkt in de tas en ziet dat er geen geld in zit.

Hij scheldt en roept boos: 'Kom terug!'

Diederik ziet een eind verder een **taxi** staan.

'Zullen we de **taxi** nemen?' vraagt hij.

Emma vindt dat raar, want ze heeft nog nooit een
taxi genomen.

'Hoe doe je dat?' vraagt ze.

'Je stapt in en je zegt waar je heen moet.'

'Is het niet heel erg duur?'

'Ik denk het wel,' zegt Diederik, 'maar ... dit is een noodgeval.
We betalen met geld uit de tas.'
Emma twijfelt: 'We mogen niet ...'
Maar ze kan haar zin niet afmaken.
De man met de blauwe regenjas haalt hen bijna in.
'Stap in!' roept Diederik en ze springen in de **taxi**.
De man met de blauwe regenjas rent op de **taxi** af.
'Naar ... naar huis!' zegt Diederik.
'Waar woon je?' vraagt de man achter het stuur.
Diederik geeft zijn adres, de **taxi** start en rijdt net op tijd weg.

Diederik zet de tas aan zijn voeten neer.
Terwijl de **taxi** hen naar huis rijdt, kijken Diederik en Emma stil door het raampje.
Ze zijn erg moe en zien niet wat de man achter het stuur doet.
Hij glipt met zijn hand in de tas, voelt erin en haalt er stiekem al het geld uit.

Als de **taxi** voor Diederiks huis stopt, wil Emma betalen.
'Laat maar,' zegt de man achter het stuur.
'Moeten we niet betalen?' vraagt ze verbaasd.
'Nee, het is goed,' zegt de man van de **taxi**.
Ze stappen uit, de man zegt: 'Ajuus!' en rijdt weg.

Ze staan voor de deur van Diederiks huis.

'Wat doen we nu?' vraagt Emma.

'Morgen zetten we de tas terug, precies op de plek waar we hem vonden.'

'Goed, maar wat vertellen we thuis, want we zijn uren te laat.

Mijn vader en moeder zullen erg boos zijn.'

'Die van mij ook,' zucht Diederik, 'weet jij een goeie smoes?'

'We vertellen de waarheid,' zegt Emma.

10. Wat een verhaal!

Diederik en Emma zitten stil op een stoel en staren
naar de grond.
Diederiks ouders zijn woedend.
'We waren erg ongerust,' zeggen ze.
'We hebben al met het **politiebureau** gebeld.
We waren bang dat er iets met jullie gebeurd was.'
Diederiks vader legt de telefoon neer.
'Ik heb met je ouders gebeld, Emma, ze komen je
zo halen.'
'Vertel op, waar waren jullie al die tijd?

Diederik en Emma halen diep adem en dan vertellen ze
hun verhaal.
Ze vertellen het precies zoals het ging: van de tas op
het schoolplein, van de bedelaar en de **taxi**.
Ze vergeten de man met de blauwe regenjas niet.
Emma laat op haar mobiel de foto van de man zien.
Diederiks ouders luisteren met open mond.
'Wat een verhaal,' zucht Diederiks moeder.
'Niet te geloven,' zucht zijn vader.
Dan gaat de deurbel.
'Dat zullen je ouders zijn,' zegt Diederiks vader.

Even later komt de vader van Diederik terug.
'Hier is iemand voor jullie,' zegt hij.

De man met de blauwe regenjas komt de kamer binnen.
Diederik en Emma schrikken.

11. De man met de blauwe regenjas

De man staat in het midden van de kamer.

'Jullie hebben mijn tas gestolen,' zegt hij.

'Die tas zit vol geld,' zegt Diederik boos, 'je bent zelf een dief!'

'Ik heb dat geld eerlijk verdiend,' zegt de man.

'Het komt uit de kassa van mijn winkel.'

Diederik en Emma schrikken even.

'U bent dus geen dief?' stottert Emma.

'Dat klopt en ik wil nu meteen mijn geld terug!'

Diederik geeft hem de tas en hij zegt: 'Het spijt ons.

We dachten echt dat u een dief was.'

De man kijkt in de tas en roept woedend: 'Waar is mijn geld?'

'In de tas,' antwoordt Emma.

'Nou ja, toch bijna al het geld, want we hebben een beetje gebruikt om ...'

Maar Emma kan haar zin niet afmaken.

De man stampt woedend op de vloer en roept: 'Er zit niets meer in de tas!'

Diederik en Emma kunnen het niet geloven.

'Kijk dan zelf!' roept de man.

Ze kijken in de tas en inderdaad ... al het geld is weg.

'Dat kan niet,' roept Emma uit.

'De man van de **taxi**!' zegt Diederik.

Iedereen kijkt hem vragend aan.

'Emma hoefde de **taxi** niet te betalen,' zegt Diederik.

'Tijdens de rit heeft de man van de **taxi** dus het geld gestolen.

Zonder dat we het zagen, zat hij in de tas.'

De man met de blauwe regenjas zegt: 'Ik wil nu meteen mijn geld terug!'

12. De taxi

Ze gaan met z'n allen in de auto van Diederiks vader
de **taxi** zoeken.
Ze rijden door de stad.
Na tien **taxi**'s vinden ze hem eindelijk.
'Ik weet zeker dat hij het is,' zegt Diederik.
'Ik ook,' zegt Emma.

Diederiks vader loopt naar de **taxi**.
'Waar is het geld?' vraagt hij.
De man achter het stuur schrikt.
'Het geld!' roept Diederiks vader boos.
'Ik ... ik heb het geld niet meer,' zegt de man.
'Maar als jullie mij volgen, kan ik jullie er wel heen
brengen.'
Diederiks vader volgt de **taxi** door de stad en dan
de snelweg op.
'Waar brengt hij ons heen?' vraagt Emma.
Diederik en Emma zijn bezorgd.
Stel je voor dat de man hen in de val lokt ...

Na een half uur rijden ze de snelweg af en een grote
parkeerplaats op.
'Wat raar,' zegt Diederiks vader en hij wijst naar een
groot gebouw.
'Dat is het gebouw van een tv-omroep,' zegt hij.

Opeens staat de bedelaar bij hun auto.

Diederiks vader rijdt hem bijna omver, hij remt net op tijd.

'De dief?' roept Emma verbaasd.

Diederiks vader doet zijn autoraampje open.

De bedelaar heeft een microfoon in zijn hand.

'Welkom bij *De Eerlijke Vinder*!' roept hij.

13. Op tv

De bedelaar doet zijn pruik en zijn baard af.
Diederik herkent hem, het is een bekend gezicht
van de tv.
'Bart Spot!' roept Emma.
'Dat is geen bedelaar, dat is Bart Spot!'
Bart Spot is heel bekend.
Hij komt al jaren op tv en doet heel veel **shows**.
Hij heeft een nieuwe **show**: *De Eerlijke Vinder*.

Diederik en Emma gaan met Bart Spot naar binnen.
Ze komen in een grote tv-studio waar een massa
publiek zit.
Diederik en Emma krijgen een groot **applaus** van het
publiek.
Ze snappen nog altijd niet wat er gebeurt.
Bart Spot legt het uit: 'Wij leggen ergens een tas vol
geld neer.
Wie het geld vindt, wordt stiekem gevolgd.
Alles wordt gefilmd met een **camera**, zonder dat je er
iets van merkt.
Je hele avontuur komt dan op tv.'

Emma kan haar oren niet geloven.
'Dus jullie hebben alles gezien?'
'Jaaaa,' lacht Bart.

Het publiek lacht ook en geeft hen nog een groot
applaus.
'We hebben alles gezien!
Het hele land heeft alles gezien en alles is op
tv gekomen.'

Diederik en Emma zijn helemaal de kluts kwijt, want het
was dus allemaal nep.
Bart vertelt dat iedereen in het **complot** zat: de agent,
de winkeljuffrouw, iedereen!
'De man in de **taxi** ook?' vraagt Diederik.
'Iedereen!' lacht Bart.
'En de man met de blauwe regenjas?'
'Hij ook, en de man van de bus ook, zelfs je ouders.'

14. Naar school

De volgende dag gaan Diederik en Emma weer naar
school.
Omdat iedereen hun avontuur op tv heeft gezien, zijn ze
de sterren van de klas.
Diederik vertelt stoer zijn verhaal.

Als de juffrouw binnenkomt, gaat iedereen zitten en
wordt het stil.
'Huiswerk gemaakt?' vraagt ze streng.
Ze kijkt naar Diederik en Emma die erg schrikken.
Ze zijn hun huiswerk compleet vergeten.
'Jullie hadden het beloofd,' zegt de juffrouw.
'We hebben geen tijd gehad,' zegt Emma bang.
De juffrouw kijkt haar boos aan en zegt: 'Geen tijd
gehad?'
'Hebt u ons op tv gezien?' vraagt Diederik.
De juffrouw kijkt nu boos naar Diederik.
'Er is alleen maar onzin op tv, de ene **show** na de andere.
Geef mij maar een goed boek.
Mensen moeten wat meer lezen.
Maar wat heeft dat met je huiswerk te maken?'
Diederik en Emma zuchten.
'We waren op tv,' zegt Emma.
'We deden zonder het te weten mee aan een **show**.
We hadden dus geen tijd voor ons huiswerk.'

De juffrouw schudt haar hoofd en zegt streng: 'Wat een slechte smoes!
Jullie blijven vandaag tot zes uur na!'

Maar dan wordt er op de deur geklopt en komt Bart Spot de klas binnen.
Hij zwaait met het huiswerk van Diederik en Emma.
'Dit waren ze vergeten in de **taxi**,' zegt Bart.
Hij knipoogt naar Diederik en Emma: 'Het is mijn schuld dat ze het niet af hebben.'
'O, maar dan is het geen probleem,' lacht de juffrouw.
Ze valt bijna flauw van bewondering.
En dan heeft Bart nog een verrassing: hij blijft de hele dag in de klas.
Hij vertelt alles over zijn werk voor de televisie en de kinderen mogen oefenen met een echte **camera**.
Zo'n leuke schooldag hebben ze nog nooit gehad!

Lees ook de andere boeken uit deze serie.

En de winnaar is ...

Elisabeth Mollema

Vreemde smokkelaars

Christel van Bourgondië

Het raadsel van de rode ruit

Monique van der Zanden

Superheld!

Trude de Jong

Tips voor ouders

Gefeliciteerd!

Uw kind is dyslectisch en heeft dit boek uitgekozen om te gaan lezen. Dat is al een hele prestatie!

Want voor kinderen met dyslexie is lezen meestal niet leuk. Zij moeten veel meer en vaker oefenen om het lezen onder de knie te krijgen. En alle boeken die zij ooit willen lezen, zijn voor hen moeilijker dan voor een gemiddelde lezer.

Wat kinderen met dyslexie helpt is:

- **lezen, lezen en nog eens lezen!**

En dat is alleen maar leuk als ze:

- **leuke boeken lezen op een niveau dat voor hen geschikt is.**

U, als ouders of begeleiders kunt deze kinderen helpen door:

* **veel leuke verhalen voor te lezen**

* **samen te lezen (bijvoorbeeld om de beurt een bladzijde)**

* **ze te laten luisteren naar leuke luisterboeken**

* **het kind altijd aan te moedigen om te lezen**

Lezen is een feest. Naast alle dingen die uw kind leuk vindt om te doen, is altijd plaats om samen tien minuten te lezen, bijvoorbeeld tien minuten later naar bed en eerst nog even samen lezen!

Hoe werkt Zoeklicht Dyslexie?

1. Luister naar de audio-cd en kijk naar de eerste bladzijden van het boek. *Op de cd worden de hoofdpersonen voorgesteld en worden de moeilijke woorden uit het verhaal voorgelezen.*

2. Luister naar het eerste stukje van het verhaal dat op de audio-cd wordt voorgelezen. *Je weet dan al een beetje hoe het verhaal gaat en als het spannend wordt, ga je zelf verder met lezen.*

3. Ga het verhaal nu lezen. *Als je vetgedrukte woorden tegenkomt, dan weet je dat dat een moeilijk woord is dat op de flap staat. Blijven deze woorden heel moeilijk, luister dan nog een keer naar het eerste stukje van de audio-cd waarop ze worden voorgelezen.*

taxi

show

4. Alle boeken uit de serie Zoeklicht Dyslexie hebben een speciale letter voor dyslectische kinderen. Zo wordt lezen nog fijner.

applaus

camera

complot

Naam: *Dirk Nielandt*
Ik woon met: *vrouw (Claudia) en dochter (Joni, 11 jaar) en zoon (Mees, 9 jaar).*
Dit doe ik het liefst: *lezen, zwemmen, joggen.*
Dit eet ik het liefst: *Italiaans.*
Het leukste boek vind ik: *Pippi Langkous van Astrid Lindgren.*
Mijn grootste wens is: *ooit in een wereld zonder oorlog en armoede te mogen leven.*

Naam: *Mariella van de Beek*
Ik woon met: *mijn dappere manlief Eef en poes Puck.*
Dit doe ik het liefst: *onder water zwemmen, strandjutten, sneeuwpoppen maken.*
Dit eet ik het liefst: *chocola natuurlijk! En blote pannekoeken!*
Het leukste boek vind ik: *'Het malle ding van bobbistiek' van Leonie Kooiker.*
Mijn grootste wens is: *een koala vasthouden, en in een kasteel wonen, en oude flessenpost vinden, en een eigen zwembad, en naar de maan, en nooit meer koude voeten.*